SS-Infanterie-Regiment « Thule (1) »

Textes/texts :
Charles Trang
Photos :
Martin Månsson

Naissance de l'unité

Le *SS-Sonder-Bataillon « Reitz »* est constitué le 24 juin 1940 à la caserne SS de Stralsund à partir du *III./SS-Totenkopf-Standarte 5*, de recrues nées en 1921 et 1922 et de cadres issus du *III./SS-Totenkopf-Rekruten-Standarte*. En outre, une section de canons d'infanterie est cédée par le régiment *« Germania »* et une section antichar par la *Leibstandarte SS « Adolf Hitler »* et la *SS-Verfügungsdivision*. Le 28 juin, le bataillon est rebaptisé *verstärktes SS-Totenkopf-Bataillon « Norwegen »*. Il comprend alors 13 officiers, 62 sous-officiers et 871 hommes de troupe (total : 946). De Stralsund, il est transféré à Stettin d'où il embarque pour la Norvège. Arrivé à Oslo, il rejoint Kirkenes, ville située sur le cercle polaire. Il est alors rebaptisé *SS-Totenkopf-Bataillon « Kirkenes »*. Il a pour mission d'assurer la protection du secteur Jacobselven - Tana. Le 23 août, il est décidé de former un deuxième bataillon et, avec le premier, de constituer ainsi un régiment. La nouvelle unité voit le jour le 1er septembre 1940 à Posen-Treskau. Elle est commandée par le SS-Sturmbannführer Herms*. Son personnel est essentiellement issu de la *12.SS-Totenkopf-Standarte*, du *SS-Ersatz-Bataillon « Der Führer »* (alors basé à Graz-Wetzelsdorf) et du *SS-Regiment « Germania »*. A la fin du mois de septembre, le bataillon est à son tour transféré en Norvège. Les deux unités doivent assurer la garde des fjords de Tana et Varanger.

Le 15 octobre, une section de DCA légère, cédée par la *SS-Fla-MG-Ers.-Kp. « Arolsen »* (SS-Ostuf. Fend), vient le renforcer. En outre, une batterie d'obusiers est mise sur pied à Berlin-Lichterfelde par le *SS-Ustuf.* Nickmann* à partir du *SS-Art.-Ers.Rgt.* afin d'augmenter leur puissance de feu. Le 15 novembre, l'état-major de la *9.SS-Totenkopf-Standarte* est dissous. Sa section de transmissions est cédée à la *SS-Totenkopf-Standarte « Kirkenes »* que dirige le *SS-Ostubaf.* Ernst Deutsch*. Celle-ci sera plus tard rebaptisée *SS-Totenkopf-Standarte 9 « Kirkenes »*.

Le 1er février 1941, un troisième bataillon est formé sous la conduite du *SS-Stubaf.* Klein*. Une semaine plus tard, le régiment change une nouvelle fois de dénomination et devient la *9.SS-Standarte* avant d'être rebaptisée *SS-Infanterie-Regiment 9 (mot.)* le mois suivant.

Après avoir été rattaché au *SS-Kampfgruppe « Nord »*, le régiment est subordonné à partir du 1er mai 1941 à la *702.Infanterie-Division*. Au cours du mois de juin, il reçoit une compagnie du génie (*SS-Ustuf.* Eichhorn*). En revanche, il doit céder sa 12e compagnie au *SS-IR 6*, ce dernier ayant perdu quatre-vingts hommes de sa 6e compagnie lors du naufrage du vaisseau *« Blenheim »*. Le 6 juin, une nouvelle 12e compagnie doit donc être formée à Stettin à partir de la *SS-Wach-Kompanie « Obersalzberg »*. Son chef est le *SS-Hstuf.* Keidel*. Le 15 juin, le régiment est subordonné à l'*AOK « Norwegen »*. Une semaine plus tard, alors que les forces de l'Axe envahissent l'URSS, il demeure le long de la côte norvégienne à Vardsö (*III./SS-IR 9*), Vardö (*II./SS-IR 9*) et Kirkenes (*I./SS-IR

The birth of the unit

The SS-Sonder-Bataillon "Reitz" was formed on 24 June 1940 in the SS barracks at Stralsund with recruits born in 1921 and 1922 and officers coming from III./SS-Totenkopf-Rekruten-Standarte. An additional infantry gun section was provided by the "Germania" regiment and an anti-tank section by Leibstandarte SS "Adolf Hitler" and SS-Verfügungsdivision. On 28 June, the battalion was renamed verstärktes SS-Totenkopf-Bataillon "Norwegen". It had a strength of 13 officers, 62 non-commissioned officers and 871 soldiers (a total of 946 men). From Stralsund, it was transferred to Stettin, from where it embarked for Norway. Upon its arrival at Oslo, it moved to Kirkenes, a town situated within the Arctic Circle. Then it was renamed SS-Totenkopf-Bataillon "Kirkenes". Its mission was to cover the Jacobselven - Tana sector. On 23 August, the decision was taken to raise a second battalion and a regiment was formed combining the two battalions. This new unit was formed on 1 September in Posen-Treskau. It was commanded by SS-Sturmbannführer Herms and its personnel essentially came from 12.SS-Totenkopf-Standarte, SS-Ersatz-Bataillon "Der Führer" (based at Graz-Wetzelsdorf at the time) and SS-Regiment "Germania". At the end of September, the battalion was in turn transferred to Norway. The two units had to guard the Tana and Varanger fjords.

On 15 October, a section of light AA guns, issued from SS-Fla-MG-Ers.-Kp. "Arolsen" (SS-Ostuf. Fend), came as reinforcement. In addition, a battery of howitzers was mobilised at Berlin-Lichterfelde by SS-Ustuf. Nickmann from SS-Art.-Ers.Rgt., in order to increase their fire power. On 15 November, the headquarters of 9.SS-Totenkopf-Standarte was dissolved. Its transmissions section was given to SS-Totenkopf-Standarte "Kirkenes" which was commanded by SS-Ostubaf. Ernst Deutsch. It was later renamed SS-Totenkopf-Standarte 9 "Kirkenes".

On 1 February, a third battalion was created under the supervision of SS-Stubaf. Klein. One week later, the regiment changed its name once again and became 9.SS-Standarte before being renamed SS-Infanterie-Regiment 9 (mot.) the following month.

After having been attached to SS-Kampfgruppe "Nord", on 1 May it was subordinated to 702.Infanterie-Division. During the month of June, it received a company of engineers (SS-Ustuf. Eichhorn). In exchange, it had to give up its 12th company to SS-IR 6, as the latter had lost eighty men from its 6th company when the vessel "Blenheim" was shipwrecked. On 6 June, a new 12th company then had to be formed at Stettin from SS-Wach-Kompanie "Obersalzberg", which was commanded by SS-Hstuf. Keidel. On 15 June, the regiment was placed under AOK "Norwegen". One week later, when the Axis Forces invaded the Soviet Union, it occupied the length of the Norwegian coast to Vardsö (III./SS-IR 9), Vardö (II./SS-IR 9) and Kirkenes (I./SS-IR 9). At the time, it was 3,071 men strong and subordinated to Gebirgs-Korps "Norwegen" commanded by General Dietl. On 29 June, the latter took offensive action in the direction of Murmansk. SS-IR 9 was not engaged until the third week of August. On 26 August, it was attached to 2.Gebirgs-Division. Its first battalion (I./SS-IR 9, SS-Stubaf. Deisenhofer) came to rein-

NB. : les astérisques (*) renvoient aux notes biographiques concernant les officiers publiées, dans *Totenkopf* pp 490 à 500, paru aux éditons Heimdal en 2006.

9). Il est alors fort de 3 071 hommes et dépend du *Gebirgs-Korps « Norwegen »* du général Dietl. Le 29 juin, ce dernier passe à l'offensive en direction de Mourmansk. Le *SS-IR 9* n'est engagé qu'à partir de la troisième semaine d'août. Le 26, il est rattaché à la *2.Gebirgs-Division*. Son premier bataillon (*I./SS-IR 9, SS-Stubaf. Deisenhofer*) vient renforcer le *SS-IR 7*. Il passe la Kairala et parvient jusqu'aux rives de la Nurmitunturi. Il se bat durement deux jours plus tard dans la vallée d'Ahkioja. Le 30, il s'attaque aux positions soviétiques situées à l'ouest d'Alakurtti, les force et atteint Tuntsajok. Ces succès sont payés au prix fort : le bataillon déplore 52 tués et 52 blessés. A l'issue de ces combats, le *I./SS-IR 9* est placé en réserve du *XXXVI.AK* dans le secteur de Luostari. Le 5 septembre, le reste du régiment reçoit la mission suivante : élargir la tête de pont à l'est de la Liza. L'attaque est lancée le 8. Malgré son enthousiasme, le *II./SS-IR 9* du *SS-Stubaf.* Herms subit de très lourdes pertes devant les positions solidement aménagées par les Soviétiques au niveau de la cote 129. Le *III./SS-IR 9* du *SS-Stubaf.* Dusenschön parvient à s'emparer de la cote 173,7. Une contre-attaque russe repousse le *II./SS-IR 9* tandis que le *III./SS-IR 9* se fait également bousculer à l'est de Lopatkina. Son chef est blessé. Tout le flanc gauche de la *2.Gebirgs-Division* se trouve ainsi menacé. Les chasseurs alpins contre-attaquent alors avec le *I./Geb.Jg.Rgt.137* et les Russes sont finalement tenus en respect. Le 9 septembre, le *Gruppe « Deutsch »* se rassemble derrière la cote 173,7. Le *II./SS-IR 9* est relevé par le *Pi.-Btl.82*. Les jours suivants, la *2.Gebirgs-Division* continue à attaquer, mais sans résultat probant. Le 16, le *I./SS-IR 9* est rattaché à la *3.Gebirgs-Division* et relève le *III./IR 388* (*Gruppe « Ledebur »*) de part et d'autre de la Liza jusqu'au lac Wiljärvi. Le 19, le *Gebirgs-Korps « Norwegen »* est définitivement bloqué sur la route de Mourmansk et doit se mettre sur la défensive. Du 20 au 23, le *I./SS-IR 9* participe à une opération de nettoyage à l'est de la Liza sur les arrières du *Geb.Jg.Rgt.138*. Le 24, il se retire sur la rive occidentale entre le lac Nosh-Jarvi et la cote 77,4. Quelques jours plus tard, il rejoint le reste du régiment dans le secteur de Petsamojokki. Le 14 octobre, le *SS-IR 9* est directement subordonné à l'*AOK « Norwegen »* et reçoit l'ordre de gagner la région de Rovaniemi afin de soutenir le 3ᵉ corps finlandais à l'est de Kiestinki. Le 28, la *SS-Batterie « Nickmann »* devient la 3ᵉ batterie du régiment d'artillerie de la *SS-Division « Nord »*. Le *SS-IR 9 (mot.)* vient se regrouper au sud de la voie ferrée Kiestinki - Louhi. Il passe à l'attaque le 1ᵉʳ novembre par un froid épouvantable. Deux lignes de défense soviétiques sont bousculées avant que la progression ne soit bloquée : les SS ne peuvent atteindre les lacs Yelovoje et Werschnejeosero. Le régiment reste engagé de part et d'autre de la rivière Gankachvaara jusqu'au 18 novembre. Il est ensuite transféré dans le secteur de Taivalkoski et Pudasjärvi. Ses armes et son matériel sont cédés à la *SS-Division « Nord »*. Le *III./SS-IR 9*, qui ne compte plus que 202 hommes valides, et la *Pi.-Kp./SS-IR 9* lui sont rattachés. La *leichte Infanterie-Kolonne* est intégrée aux *Nachschubdienste/SS-Division « Nord »* tandis que le reste du régiment se rassemble à Helsinki. De là, il rejoint Tallinn. Ses pertes subies sur le front de Finlande s'élèvent à 359 tués, 233 blessés et 106 disparus. De Tallinn, il gagne Narwa.

Le 20 décembre, il est rattaché au *Heeresgruppe « Nord »* et placé en réserve de la *18.Armee*. Afin de regonfler les effectifs des compagnies, le *II./SS-IR 9* est dissous et ses éléments sont dispersés au sein des autres unités régimentaires. Ainsi, à la veille de Noël, le *SS-IR 9 (mot.) « Thule »* possède la structure suivante :

force SS-IR 7. It crossed the Kairala river and reached the shores of the Nurmitunturi river. Two days later, it fought hard in the Ahkioja Valley. On 30 August, it attacked the Soviet positions to the west of Alakurtti, pushing them back and reaching Tuntsajok. A very high price was paid for this progress: The battalion lost 52 dead and 52 wounded. As a result of the fighting, I./SS-IR 9 was placed in reserve behind the XXXVI.AK lines in the Luostari sector. On 5 September, the rest of the regiment received the following mission: To enlarge the bridgehead to the east of the Liza river. The attack was launched three days later. Despite its enthusiasm, II./SS-IR 9 commanded by SS-Stubaf. Herms suffered heavy losses confronting the positions firmly established by the Soviets on hill 129. III./SS-IR 9 commanded by SS-Stubaf. Dusenschön took hill 173.7. A Russian counter-attack pushed II./SS-IR 9 back, while III./SS-IR 9 was also driven back to the east of Lopatkina and its commander was wounded. Hence the entire left flank of 2.Gebirgs-Division was threatened. Then the Gebirgsjäger counter-attacked with the support of le.I./Geb.Jg.Rgt.137 and the Russians were finally kept at bay. On 9 September, Gruppe "Deutsch" assembled behind hill 173.7. II./SS-IR 9 was relieved by Pi.-Btl.82. In the days that followed, 2.Gebirgs-Division continued to attack, but without convincing results. On 16 September, I./SS-IR 9 was attached to 3.Gebirgsjäger-Division and it relieved III./IR 388 (Gruppe "Ledebur") on both sides of the Liza river up to Lake Wiljärvi. On 19 September, Gebirgs-Korps "Norwegen" was permanently blocked on the road to Murmansk and had to build defensive positions. Between 20 and 23 September, I./SS-IR 9 participated in a mop up operation to the east of the Liza river in the rear of Geb.Jg.Rgt.138. On 24 September, it retreated to the western shore between Lake Nosh-Jarvi and hill 77.4. Several days later, it rejoined the rest of the regiment in the Petsamojokki sector. On 14 October, SS-IR 9 was directly subordinated to AOK "Norwegen" and received orders to take control of the Rovaniemi region in order to support the 3rd Finnish Corps to the east of Kiestinki. On 28 September, SS-Batterie "Nickmann" became the 3rd battery of the artillery regiment of SS-Division "Nord". SS-IR 9 (mot.) regrouped south of the Kiestinki - Louhi railway. It moved to attack on 1 November in terrible cold weather. Two Soviet lines of defence were destroyed before their progression was stopped: The SS were unable to reach the lakes of Yelovoje and Werschnejeosero. The regiment remained stationed on both sides of the Gankachvaara river until 18 November. It was later transferred to the Taivalkoski and Pudasjärvi sectors. Its weapons and material were given to SS-Division "Nord". III./SS-IR 9, which consisted in no more than 202 men who were still fit for service, and Pi.-Kp./SS-IR 9 were attached to it. Its leichte Infanterie-Kolonne was aggregated to Nachschubdienste/SS-Division "Nord" while the rest of the regiment assembled in Helsinki. From there, it moved to Tallinn. The losses suffered by the regiment on the Finnish front totalled 359 dead, 233 wounded and 106 missing. From Tallinn, it reached Narwa. On 20 December, it was subordinated to Heeresgruppe "Nord" and placed in reserve of 18.Armee. In order to boost the companies' forces, II./SS-IR 9 was dissolved and its men were divided among the other units of the regiment. Hence on Christmas Eve, SS-IR 9 (mot.) "Thulé" had the following structure:

- Stab, Stabs-Kp.
- I.Btl. (SS-Hauptsturmführer Kiklasch)
- III.Btl. (SS-Hauptsturmführer Spanka)
- 13.(IG)Kp. (SS-Obersturmführer Förster*)
- 14.(Pz.Jg.)Kp. (SS-Hauptsturmführer Schulz)
- 15.(Pi.)Kp. (SS-Obersturmführer Kinzler)

Its fighting forces comprised 24 officers, 65 non-commissioned officers and 448 soldiers, for a total of 537 men.

- Stab, Stabs-Kp.
- I.Btl. (SS-Hauptsturmführer Kiklasch)
- III.Btl. (SS-Hauptsturmführer Spanka)
- 13.(IG)Kp. (SS-Obersturmführer Förster*)
- 14.(Pz.Jg.)Kp. (SS-Hauptsturmführer Schulz)
- 15.(Pi.)Kp. (SS-Obersturmführer Kinzler)

Ses effectifs combattants sont de 24 officiers, 65 sous-officiers et 448 hommes de troupe, soit un total de 537.

Après une brève période passée à Narwa, le régiment est envoyé à Kingisepp puis c'est à pied qu'il rejoint Menewscha, ville située à l'embouchure de la Tigoda. Le 14 janvier 1942, il est subordonné au I.AK et rattaché à la 291.Infanterie-Division du General-leutnant Herzog. Le 26 février, le SS-Obf. Lothar Debes remplace le SS-Ostubaf. Ernst Deutsch à la tête du régiment. Celui-ci résiste à tous les assauts soviétiques lors des furieux combats de l'hiver et du printemps sur le front du Wolchow. Le 7 juillet 1942, ses survivants sont enfin relevés et embarquent à Tschudowo en direction de Paderborn. Deux semaines plus tard, le SS-IR 9 « Thule » est intégré à la SS-Panzergrenadier-Division « Totenkopf » et devient le SS-Kradschützen-Regiment « Thule ».

Commandeurs du régiment
01.09.40- ? : SS-Sturmbannführer Herms
? - 25.02.42 : SS-Obersturmbannführer Deutsch
26.02.42-21.07.42 : SS-Oberführer Debes

Croix allemande en or
28.02.42 : SS-Hauptsturmführer Spanka
(Fhr. III./SS-IR 9 « Thule »)

After a brief period spent in Narwa, the regiment was sent to Kingisepp and travelled on foot to Menew-scha, a town located at the mouth of the Tigoda river. On 14 January 1942, it was subordinated to I.AK and attached to 291.Infanterie-Division commanded by Generalleutnant Herzog. On 26 February, SS-Obf. Lothar Debes replaced SS-Ostubaf. Ernst Deutsch at the head of the regiment. The latter resisted to every Soviet attack during the furious combats which took place during the winter and spring months on the Wolchow front. On 7 July 1942, its survivors were relieved and embarked in Tschudowo towards Pader-born. Two weeks later, SS-IR 9 "Thule" was integra-ted into SS-Panzergrenadier-Division "Totenkopf" and became SS-Kradschützen-Regiment "Thule".

Regiment commanders
01/09/40- ?: SS-Sturmbannführer Herms
? – 25/02/42: SS-Obersturmbannführer Deutsch
26/02/42-21/07/42: SS-Oberführer Debes

German gold cross
28/02/42: SS-Hauptsturmführer Spanka
(Fhr. III./SS-IR 9 "Thule")

(1) Le navigateur grec Pythéas donne le nom de «Thulé» à une île atteinte au IIIe siècle av. J.-C. qu'il présente comme la dernière île de l'actuel archipel britannique. Il s'agis-sait soit de l'Islande, peut-être des îles Féroé, du Groenland ou soit encore du nord de la Norvège (Hålogaland). Pythéas indique (d'après Strabon, Géographie, I, 4) avoir atteint Thulé après six jours de navigation depuis les îles Shetland. Il décrit Thulé, à des lati-tudes proches du cercle polaire, comme une île habitée où l'on pratique « la culture du blé et l'élevage des abeilles ». Les nuits d'été ne dureraient que deux à trois heures. Après une journée de navigation vers le nord, il prétend avoir atteint les premières glaces de la banquise. Le nom de Thulé figure notamment dans l'Enéide du poète romain Vir-gile, et il est généralement admis que Ultima Thulé des anciens Grecs désignait les terres les plus au nord et tout particulièrement la Scandinavie. Ptolémée le situe au 63° N de latitude dans son ouvrage Géographie. Au moyen âge, Ultima Thule est parfois utilisé comme nom latin pour le Groenland lorsque Thule désigne l'Islande.

Une société de recherches ethnographiques Thule est née au début du XXe siècle, à l'origine un groupe d'études ethnologiques s'intéressant tout spécialement à l'Antiquité germanique. Partant du postulat que l'Ultima Thulé des anciens Grecs désignait les terres les plus au nord et tout particulièrement la Scandinavie, cer-tains membres de ce groupe pensaient que Thulé était ce qui subsistait de Hyper-borée des Grecs (litt. « au-delà de Borée », Borée désignant la divinité incarnée par le vent du nord), un continent disparu, et que celui-ci était le berceau de la race aryenne. La guerre de 1914-18 dispersa ses collaborateurs dont un grand nombre furent tués. La paix revenue, le groupe se reforma, devenant la Thule-Gesellschaft (Société Thulé ou l'Ordre de Thulé) créée par le baron Rudolf von Sebottendorff le 17 août 1918. Elle prit une nouvelle orientation sous l'influence de l'écrivain et pro-fesseur d'histoire Paul Rohrbach, qui a publié de nombreux ouvrages relatifs à l'Asie et au pangermanisme. Un autre membre influant fut Dietrich Eckart, lequel y introduisit Alfred Rosenberg (le « philosophe » officiel du nazisme). Jusque-là le groupe Thulé n'était qu'une sorte d'académie dilettante, légèrement snob (selon W. Gerson, Le nazisme société secrète, N.O.E., 1969). Diffusée à Muni-ch, l'idéologie de cette société prônait l'antisémitisme (selon Werner Gerson, op.cit.), l'antirépublicanisme, le paganisme et le racisme. Son symbole, la croix de Wotan (autre nom d'Odin, Wotan ou Wodan en langue germanique), n'est pas sans rappeler la croix gammée.

Avec la croissance du NSDAP, le déclin de la société Thulé a lieu lors du décret de 1937, qui interdisait toutes les loges franc-maçonnes et toutes les organisations appa-rentées aux loges. Quant à Sebottendorff, il se serait suicidé en se jetant dans le Bos-phore en 1945.

(1) In the 3rd century BC, Greek navigator Pytheas reached an island he thought was the last island of today's British Isles, and named it "Thule". Truly, it was either Iceland, the Faroe Islands, Greenland, or maybe some island north of Norway (Hålogaland). Pytheas stated (according to Strabo, Geography, I, 4) that having sailed from the Shet-land Islands, he had reached Thule after six days of navigation. He described Thule – which was situated at latitudes close to the polar circle – as an inhabited island, where people "grow wheat and keep bees". According to him, summer nights only lasted two or three hours there. He claimed that, after sailing north for a day only, he reached the realm of the ice floe. Thule's name appears notably in Roman poet Virgil's Aeneid, and it is generally admitted that the ancient Greeks' "Ultima Thule" designated the nor-thernmost lands, and especially Scandinavia. In his Geography, Ptolemy located the spot at latitude 63°north. In the Middle Ages, "Ultima Thule" was sometimes used as the Latin name for Greenland, "Thule" being Iceland.

A society for ethnographic research named Thule was created at the dawn of the 20th century; it was originally a study group specialized in ethnology, and espe-cially in Germanic Antiquity. Basing their judgement on the postulate that the ancient Greeks' Ultima Thule stood for the northernmost lands, and Scandina-via in particular, some members of the group thought that Thule was what was left of the Greeks' Hyperborea (literally, "beyond Boreas", Boreas being the god of the north wind), a vanished continent, and that it was the cradle of the Aryan race. The First World War had the members go their separate ways, and many were killed. When peace came back, the group formed up again and became the Thule-Gesell-schaft (the Thule Society or the Order of Thule), created by Baron Rudolf von Sebottendorff on the 17th of August 1918. It took a new direction under the influence of writer and history professor Paul Rohrbach, who published many books on Asia and Pan-Germanism. Another influential member was Dietrich Eckart, who introduced Alfred Rosenberg (the official "philosopher" of Nazism) to the group. Until then, the Thule group had only been some kind of dilettan-te and slightly snobbish academy (so argues W. Gerson, Le nazisme société secrète, N.O.E., 1969). Spread in Munich, the society's ideology advocated anti-Semitism (according to Werner Gerson, op.cit.), anti-republicanism, paga-nism and racism. Its symbol, the Wotan cross (the other name of Odin, Wotan or Wodan in German), is quite evocative of the swastika.

The progress of the NSDAP saw the decline of the Thule society, which culmi-nated in 1937, when a decree forbade freemason lodges and any organisation akin to lodges. As for Sebottendorff, he presumably committed suicide in 1945 by throwing him-self into the Bosporus.

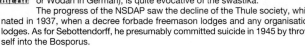

Portrait de l'auteur de cet album photographique, datant de 1940. Notre homme est alors *SS-Sturmmann* et sert au sein de la *SS-Totenkopf-Division*. Celui-ci a gardé son vieil uniforme qu'il portait avant-guerre lorsqu'il faisait partie de la *3.SS-Totenkopf-Standarte « Thüringen »*, comme le montre le chiffre « 3 » visible sur sa patte d'épaule gauche.

This portrait of the photograph album's author, has been taken in 1940. At that time, our man was SS-Sturmmann and served in SS-Totenkopf-Division. He had retained the old uniform he wore before the war, when he belonged to 3.SS-Totenkopf-Standarte "Thüringen", as shown by the number "3" which can be seen on his left shoulder patch.

Eté 1941. Le *SS-Infanterie-Regiment 9 (SS-IR 9)* assure encore la garde des fjords de Varanger et de Tana en Norvège. Dans quelques semaines, il sera transféré en Finlande pour prendre part à l'offensive finno-allemande en direction de Mourmansk, dans le secteur de Luostari.

Summer 1941. SS-Infanterie-Regiment 9 (SS-IR 9) still covers the Varanger and Tana fjords in Norway. A few weeks later, it was transferred to Finland to take part in the Finnish-German offensive towards Murmansk, in the Luostari sector.

Exercice en Norvège. L'auteur de l'album est le passager avant droit, portant un brassard blanc. La voiture est un *Kübelwagen Adler Typ 3*. Celle-ci est équipée d'un moteur 6 cylindres en ligne de 2,916 litres développant 60 chevaux à 3 300 tours par minute. C'est un 4x2 capable d'atteindre 80 km/h sur route et possédant une autonomie de 500 km (consommation de 17 litres aux 100 km sur route). L'insigne régimentaire, un bateau viking, est visible sur le garde-boue avant droit.

Exercise in Norway. The author is the passenger on the right seat, wearing a white armband. The car is a Kübelwagen Adler Typ 3. It was equipped with a 2.916 litre in-line 6 cylinder engine, yielding 60 horsepower and 3300 rpm. It was a 4x2 vehicle, capable of reaching 80 km/hr on the road, with a range of 500 km (consumption of 17 litres per 100 km on the road). The regiment symbol, a longship, is visible on the front right fender.

Le régiment a maintenant été transféré en Finlande, sur le front de la Liza, où il combat sous la direction de la *2.Gebirgs-Division*. Notre homme chevauche un side-car *DKW NZ 350*, aisément reconnaissable à son écusson placé sur le côté du réservoir. Cette moto possède un moteur de 346 centimètres cubes développant 11 chevaux à 4 000 tours par minute. Cela suffit à lui assurer une vitesse maximale de 100 km/h. On remarquera les insignes régimentaires et tactiques. Notre homme appartient à la batterie d'artillerie motorisée du régiment.

The regiment has now been transferred to Finland, on the Liza front, where it fought under the command of 2.Gebirgs-Division. Our man is straddling a DKW NZ 350 sidecar, easily recognisable from the badge on the side of the tank. This motorcycle had a 346 cc engine yielding 11 horsepower at 4,000 rpm, which was sufficient to provide it with a maximum velocity of 100 km/hr. Note the regiment and tactical insignia. Our man belonged to the regiment's motorised artillery battery.

Marche vers le front. La plupart des hommes ont revêtu une blouse camouflée, à l'exception de celui qui remonte la colonne motorisée. Ce cliché permet d'apercevoir l'armement dont est pourvue l'unité : il s'agit d'un canon d'infanterie de 7,5 cm *(le.IG18)*. La voiture visible au centre de la photographie est un *Kübelwagen Adler Typ 3*.

March towards the front. The majority of the men are wearing camouflaged smocks, except for the man walking along the motorised column. The plate facilitates the identification of the weaponry with which the regiment was provided: It is a 7.5 cm (le.IG18) infantry gun. The car visible in the centre of the photograph is a Kübelwagen Adler Typ 3.

Une belle photographie montrant notre homme sur un chemin de rondins, quelque part sur le front de la Liza. Il a maintenant été promu *SS-Rottenführer* et il est équipé d'une MP40.

This beautiful photograph is showing our man on a log track, somewhere on the Liza front. He has been promoted to SS-Rottenführer and is equipped with a MP40.

VII

L'utilisation des voies ferrées permet d'acheminer hommes et matériels vers le front dans de bonnes conditions. Visiblement, cette ligne devait servir au transport de minerais, abondants dans cette région. Le petit convoi dépasse la position d'artillerie du régiment et on peut ici apprécier l'abondance des munitions qui ont été tirées.

The use of railways eased the transportation of men and materials to the front in good conditions. This line was clearly built to transport minerals, which were abundant in the region. The small convoy is going past the position of the regiment's artillery and the abundance of ammunition that had been fired can be seen.

Très intéressante photo d'un homme du *SS-IR 9*. Celui-ci porte, comme un grand nombre de ses camarades, la tête de mort héritée des *SS-Totenkopfverbände*. On remarquera les chaussures qui sont en dotation au sein des unités de *Gebirgsjäger*, ce que n'est pas le *SS-IR 9*. A l'arrière, les panneaux indiquent que les bâtiments abritent le secrétariat et les 1re et 2e sections de la compagnie portant le numéro de code postal 04018. Cette compagnie est donc la *13.(IG)Kp./SS-IR 9*.

Interesting photo of a man from the SS-IR 9. Like a great number of his comrades, he is wearing the death's head inherited from the SS-Totenkopfverbände. Note the shoes, usually allocated to Gebirgsjäger units, which SS-IR 9 was not. In the background, the boards indicate that the buildings shelter the 2nd and 3rd sections of the company, bearing the postcode 04018. Hence this company is the 13.(IG)Kp./SS-IR 9.

En passant sur la rive orientale de la Liza, les hommes du régiment découvrent un paysage de toundra bien particulier dont la traversée se fait au prix d'énormes efforts. Ce camion *Ford G917T*, un 4x2 possédant un moteur V8 de 3,6 litres développant 90 chevaux à 3 800 tours par minute, ne possède pas les capacités suffisantes pour avancer seul dans un tel bourbier.

By crossing over to the eastern shore of the Liza river, the men of the regiment discovered a quite peculiar tundra landscape, which was crossed with great effort. The Ford G917T van, a 4x2 with a 3.6 litre V8 engine yielding 90 horsepower at 3800 rpm, was unable to advance unaided through such a quagmire.

Deux motocyclistes posent pour le photographe devant les locaux aperçus sur la précédente photo. Les tâches de boue montrent que leurs manteaux de caoutchouc sont des plus utiles. L'homme de gauche porte une carabine *K98 k* en bandoulière. Celle-ci aura été l'arme produite en plus grand nombre par l'Allemagne au cours de la guerre : environ 15 millions d'exemplaires !

Two motorcyclists are posing for the photograph in front of the premises appearing in the previous photo. The mud stains show that their waterproof coats were the most useful ones. The man on the left is carrying a K98 k rifle across his shoulder. It is the weapon which has been produced in greatest numbers by Germany during the course of the war with about 15 million units!

Arrivée du courrier. C'est toujours un moment très attendu au sein de la troupe. Il est vrai que les hommes qui ont appartenu au *SS-Bataillon « Reitz »*, noyau du régiment, ne sont pas partis en permission depuis plus d'un an.

The post arrives. This was always a long-awaited moment among the troops. The men who had served in SS-Bataillon "Reitz", who formed the core of the regiment, had not taken a leave for more than a year.

Aperçu du terrain très particulier sur lequel le régiment se bat dans le secteur de la Liza. Cette toundra n'est traversée que par de très rares routes qui se transforment en bourbiers à l'automne et au printemps. Seuls des véhicules comme ce tracteur soviétique capturé, peuvent s'y mouvoir grâce à leurs larges chenilles.

This picture shows the very particular terrain of the Liza sector on which the regiment has to fight. This tundra is only crossed by rare roads which become quagmires in spring and autumn. Only vehicles like this captured Soviet tractor were able to manoeuvre there, thanks to their large tracks.

Le tracteur tire ici un canon d'infanterie le.IG18 de la *13.(IG)Kp./SS-IR 9*. On peut ici apprécier la difficulté de ce terrain. Dans ces conditions, même ce tracteur a de la peine à gravir cette pente à la fois boueuse et rocailleuse. Les servants du canon doivent l'aider en poussant l'attelage.

Here, the tractor is towing a le.IG18 infantry gun of 13.(IG)Kp./SS-IR 9. The difficulty of the terrain can be appreciated here. Under these conditions, even the tractor experienced difficulty climbing the muddy and rocky slope. The men of the gun crew were forced to help by pushing the equipment.

Convoi de la *13.Kp./SS-IR 9*. Ce *Kübelwagen Adler Typ 3* s'est mis en conformation hivernale avec capote fermée. Il s'agit du 15ᵉ véhicule de la compagnie. Celui-ci est immatriculé « 97606 ». Les numéros allant de 97001 à 99999 sont alors attribués aux unités qui dépendaient du *Befehlshaber der Waffen-SS in Norwegen*.

Convoy of 13.Kp./SS-IR 9. This Kübelwagen Adler Typ 3 is in winter conformation with the hood closed. It is the 15th vehicle of the company, with the registration number "97606". The numbers from 97001 to 99999 were assigned to the units attached to the Befehlshaber der Waffen-SS in Norwegen.

Un cimetière du régiment dans le secteur de la Liza. Dès la mi-septembre 1941, après un mois d'engagement, le *III./SS-IR 9* ne comptait déjà plus que 150 combattants valides.

A regiment graveyard in the Liza sector. From mid-September 1941, after one month of service, III./SS-IR 9 had only 150 men fit for service left.

Un canon d'infanterie de 7,5 cm *(le.IG18)* en batterie. Il est protégé des éclats par quelques rondins. Le dégel a transformé la position en véritable cloaque. On imagine aisément quelles conditions infernales ont dû supporter les combattants sur le front russe !

A 7.5cm (le.IG18) infantry gun in battery. It was protected with a few logs. The thaw had turned its position into an authentic cesspit. One can easily imagine the infernal conditions that the fighters must have had to endure on the Russian front!

Ravitaillement des troupes et de la population civile. Le camion de droite appartient à la *SS-Division « Nord »* dont l'insigne tactique est parfaitement visible. Ceci signifie que la photo a ici été prise par un membre du *III./SS-IR 9 (SS-Hstuf.* Spanka) qui a combattu à partir du 2 décembre 1941 pendant quelques jours avec cette division.

Supplies are brought to the troops and the civilian population. The lorry on the right belongs to SS-Division "Nord" whose tactical insignia is clearly visible. This means that this photo has been taken by a member of III./SS-IR 9 (SS-Hstuf. Spanka) which fought with this division for several days from 2 December 1941.

Visite du *Generaloberst* Dietl. Celui-ci profite de l'occasion pour féliciter des hommes à qui vient d'être attribuée la Croix de fer de deuxième classe. Contrairement au *SS-Kampfgruppe « Nord »,* le *SS-IR 9* n'a pas connu de baptême du feu catastrophique sur le front de Finlande. Il a cependant subi de lourdes pertes au sud de la Liza.

Visit from Generaloberst Dietl. He takes advantage of the occasion to congratulate several men of the regiment who have just been decorated with the iron cross, 2nd class. Unlike SS-Kampfgruppe "Nord", SS-IR 9 has not experienced a catastrophic baptism of fire on the Finnish front. Nevertheless, it has suffered heavy losses south of the Liza river.

Cet officier non identifié décore de la Croix de fer de 2ᵉ classe des hommes de son unité. Il s'agit peut-être du *Regiments-Adjutant*, le *SS-Ostuf.* Rudolf Wehrhahn, un ancien de la *14.Kp./ « Deutschland »* qui sera tué le 25 mars 1942 alors qu'il dirigeait la *5.Kp./SS-IR 9*.

This unidentified officer decorates men of his unit with the iron cross, 2nd class. He is perhaps the Regiments-Adjutant, SS-Ostuf. Rudolf Wehrhahn, a veteran from 14.Kp./"Deutschland", who will be killed on 25 March 1942 while in command of 5.Kp./SS-IR 9.

Ci-dessus : Groupe de soldats du *SS-IR 9* lors d'une halte au cours d'un transfert. On remarquera les tenues, guère adaptées au froid qui règne dans le Grand Nord. On notera que la plupart portent encore au col la tête de mort, indiquant ainsi qu'ils servaient auparavant au sein de *SS-Totenkopf-Standarten* ou de la *SS-Totenkopf-Division*.

Above: *Group of soldiers from SS-IR 9 during a pause over the course of a transfer. One can notice that their clothing is hardly adapted to the cold which is reigning in the Great North. Note that most of them are still wearing the death's head on their collars, indicating that they have previously served in SS-Totenkopf-Standarten or SS-Totenkopf-Division.*

Ci-dessous : Colonne de voitures s'apprêtant à se mettre en marche. Il s'agit de *Kübelwagen Adler Typ 3 Gd*, un véhicule construit entre 1939 et 1940. Le véhicule de tête ne possède pas la roue de secours latérale, contrairement à ceux qui le suivent. Cette voiture lourde peut tracter des canons légers, type *Pak 36* de 3,7 cm ou *le.IG18* de 7,5 cm, comme c'est ici le cas.

Below: *Column of cars preparing to start their march. These vehicles are Kübelwagen Adler Typ 3 Gd, built between 1939 and 1940. The leading car does not have the emergency wheel on his side, as the one behind does. This heavy vehicle can tow light guns, like the 3.7 cm Pak 36 and the 7.5 cm le.IG18, as is the case here.*

8 décembre 1941 : le *SS-IR 9* doit en principe rentrer en Allemagne. Les combats livrés en Carélie lui auront coûté 359 tués, 233 blessés et 106 disparus sur un effectif initial de 3 071 hommes. Il est assez rare de voir que le nombre de tués excède celui des blessés. Est-ce dû à l'insuffisance des services médicaux régimentaires ou aux conditions dantesques de l'hiver polaire ?

8 December 1941: In principle, SS-IR 9 has to return to Germany. The fighting carried out in Karelia has cost them 359 dead, 233 wounded and 106 missing from a force of 3,071 men. It is quite rare to observe that the number of dead exceedes the number of wounded. Is this due to the inadequacy of regiment medical services and the Dantesque conditions of the polar winter?

Hiver 1941 – 1942. Un convoi du *SS-IR 9* traverse une ville finlandaise (Helsinki ?) ayant subi un bombardement soviétique, à en juger par les maisons détruites que l'on peut apercevoir sur la droite. Sans doute s'agit-il de traces de la guerre russo-finlandaise de 1940.

Winter 1941-1942. A convoy from SS-IR 9 in a Finnish town (Helsinki?) that has suffered a Soviet bombing, judging by the destroyed houses that can be seen on the right. Undoubtedly, these are traces of the Russian-Finnish War of 1940.

Mauvaise nouvelle : en raison de la situation catastrophique du *Heeresgruppe Nord*, le régiment ne rentre plus en Allemagne mais doit débarquer à Tallinn pour gagner, via Narwa et Kingisepp, l'embouchure de la Tigoda où il sera subordonné au *I.AK*. Au moment d'embarquer en bateau, les hommes ont été débarrassés de leurs armes et de leurs paquetages.

Bad news: Due to the catastrophic situation of Heeresgruppe Nord, the regiment will not be sent back to Germany, but has to disembark at Tallinn to reach the mouth of the Tigoda river via Narwa and Kingisepp, where it has to be subordinated to I.AK. Just before boarding the ship, the men are relieved of their weapons and packs.

Le commandant du *SS-IR 9* est le *SS-Ostubaf.* Ernst Deutsch, un SS des premières heures (SS-Nr.6116) qui a servi dès juillet 1933 au sein de la *Leibstandarte*. En août 1936, il a été nommé à la tête du *SS-Bataillon « Nürnberg »* puis, en novembre 1939, du *I./SS-Totenkopf-Rekruten-Standarte*. En mai 1940, il est muté au *II./SS-IR 7* ; le 19 août suivant, il dirige le *I./SS-Rgt.« Kirkenes »*. Le 10 février 1941, il est promu commandant du *SS-IR 9*. Réputé honnête et possédant le sens de l'honneur, il est toutefois susceptible et sujet à des sautes d'humeur. Des crises nerveuses rejaillissant sur la sûreté de son commandement amèneront son limogeage de la *9.SS-Panzerdivision « Hohenstaufen »* en janvier 1944.

The commander of SS-IR 9 was SS-Ostubaf. Ernst Deutsch, an SS officer of the early days (SS N°. 6116), who had served in Leibstandarte since July 1933. In August 1936, he was named in charge of SS-Bataillon "Nürnberg" and then in November 1939 of I./SS-Totenkopf-Rekruten-Standarte. In May 1940, he was transferred to II./SS-IR 7 and on the 19th of the following August, he was placed in command of I./SS-Rgt. "Kirkenes". On 10 February 1941, he was promoted at the head of SS-IR 9. Though he had the reputation to be honest and to possess a real sense of honour, he was nevertheless touchy and subject to mood swings. These nervous attacks affected the reliability of his command, resulting in his dismissal from 9.SS-Panzerdivision "Hohenstaufen" in January 1944.

Un *Kfz.15 Horch* en route vers le front de la Tigoda en direction de Menewscha. Son immatriculation n'est malheureusement pas visible.

A Kfz.15 Horch en route towards the Tigoda front, in the direction of Menewscha. Unfortunately, its registration plate is not visible.

Tempête de neige. Sur le front de Leningrad, les conditions hivernales éprouvent les hommes et les véhicules. Les fourgons hippomobiles s'y meuvent plus rapidement que les motos, comme le prouve ce cliché pris dans le secteur de Menewscha.

Snow storm. On the Leningrad front, the winter conditions tested both men and vehicles. Horse-drawn wagons were able to move faster than motorcycles, as demonstrated by this photograph which has been taken in the Menewscha sector.

Embouteillage sur le front de la Tigoda. On voit ici un *le.IG18* tracté par une voiture lourde dont les roues sont équipées de chaînes. Le canon lui-même a en partie été protégé des intempéries par une couverture. A noter l'insigne régimentaire, visible sur le garde-boue arrière droit de la voiture.

Traffic jam on the Tigoda front. Here, a le.IG18 can be seen being towed by a heavy car with chained wheels. The cannon itself had been partially protected from the bad weather by a cover. Note the regiment insignia which is visible on the rear right-hand fender of the vehicle.

Des chars *Pzkpfw.III Ausf.H* apparte-
nant vraisemblablement au *Pz.Rgt.29*
(*12.Panzerdivision*) viennent soutenir
le *SS-IR 9 (mot.)* sur le front de la Tigoda.

*Pzkpfw.III Ausf.H tanks, probably
belonging to Pz.Rgt.29 (12.Panzerdi-
vision), are providing back up to SS-
IR 9 (mot.) on the Tigoda front.*

L'auteur de l'album s'essaye au *MG-
34*. Celle-ci est montée sur un trépied
antiaérien et possède le viseur adap-
té. La mitrailleuse *MG-34* a été produite par plusieurs sociétés au cours
de la guerre : Berlin-Suhler Waffen und
Fahrzeugwerke, Gustloff Werke,
Maget, Mauser Werke, Steyr Daimler
Puch et Waffenfabrik Brünn (Brno).
Cette dernière usine, construite en
Moravie (Tchécoslovaquie), allait
continuer sa production bien après
1945.

*The author tries out a MG-34. The
weapon is mounted on an anti-aircraft
tripod and has adapted sights. The
MG-34 machinegun was manufactu-
red by several companies over the
course of the war: Berlin-Suhler Waffen und Fahrzeugwerke, Gustloff
Werke, Maget, Mauser Werke, Steyr
Daimler Puch and Waffenfabrik Brünn
(Brno). The latter factory, built in Mora-
via (Czechoslovakia), was to continue
its production until well after 1945.*

Evacuation de blessés par traîneau. En l'absence de routes carrossables et en raison de l'enneigement important, ce mode de transport est rapidement privilégié par l'armée allemande. Dans ces conditions hivernales extrêmes, la démotorisation de la Wehrmacht s'impose.

Evacuating the wounded by sleigh. In the absence of roads suitable for motor vehicles due to the significant snow coverage, this mode of transport was quickly favoured by the German Army. In extreme winter conditions, the Wehrmacht was unable to make use of its motorised vehicles

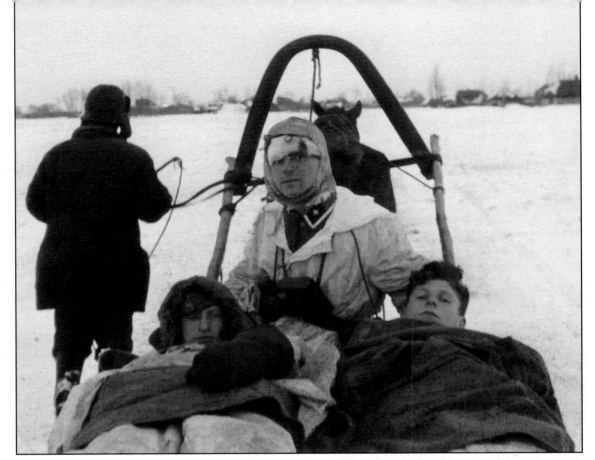

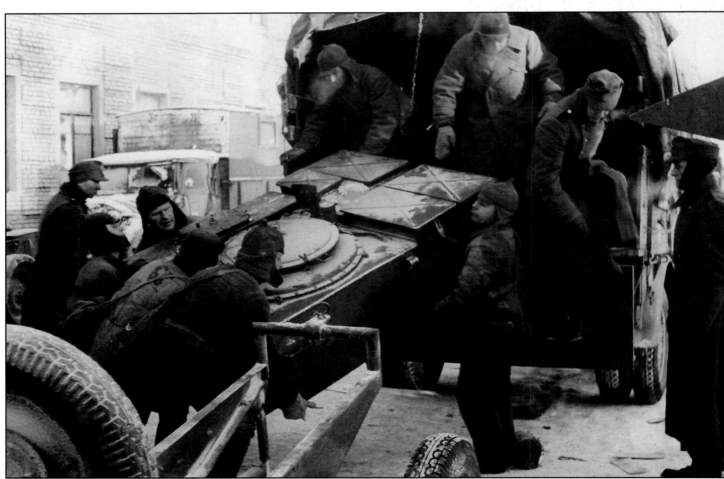

Déchargement d'une « roulante » par des prisonniers russes (*Hiwis* ?) devant améliorer l'ordinaire des soldats du régiment. Sur la droite, on peut voir un fanion de la *12.Panzerdivision*.

Unloading a mobile field kitchen by Russian prisoners (Hiwis ?) in order to improve the quality of life of the regiment's soldiers. The 12.Panzerdivision pennant can be seen to the right.

Printemps 1942, le terrible hiver 1941 appartient désormais au passé. Un autre fléau a fait son apparition avec le retour de températures plus clémentes : ce sont les mouches et les moustiques qui pullulent dans la région marécageuse du Wolchow. Des moustiquaires sont ainsi distribuées aux hommes pour les protéger.

Spring 1942; the terrible winter of 1941 was then a matter of the past. Another curse appeared with the return of milder temperatures: Flies and mosquitoes which proliferated in the marshy region of Wolchow. Hence mosquito nets were distributed among the men to protect them.

Repos à proximité d'une voie ferrée. Les hommes prennent le soleil. L'un d'eux a récupéré un casque soviétique qu' une balle a traversé. Un trophée macabre ? Il est à noter que les vieux uniformes avec les têtes de mort au col ont maintenant été remplacés.

Taking a break near an embankment. The men enjoy the sunshine. One of them has recovered a Soviet cap that has been penetrated by a bullet. A macabre trophy? Note that the old uniforms with the death's head on the collars have then been replaced.

Superbe photographie montrant des hommes du régiment avec un civil russe chez lequel ils sont logés.
A superb photograph showing men from the regiment with a Russian civilian who provided them with accommodation.

Construction d'une petite passerelle au-dessus de cette rigole. L'ensemble est assez rudimentaire mais ne doit pas servir au passage de véhicules.

Construction of a small footbridge over a channel. It is quite rudimentary and cannot be used by vehicles.

Un *SS-Unterscharführer* et un *SS-Rottenführer* posent pour le photographe. Le deuxième vient tout juste d'être décoré du *Kriegsverdienstkreuz II.Klasse* (Croix de mérite de guerre de 2ᵉ classe). Cette décoration récompense les soldats œuvrant au sein des unités de soutien logistique.

An SS-Unterscharführer and an SS-Rottenführer are posing for the photograph. The second has just been decorated with the Kriegsverdienstkreuz II.Klasse (war merit cross 2nd class). This medal was awarded to the soldiers serving in logistic support units.

Servants d'un canon d'infanterie de 7,5 cm. Le chef de pièce est un *SS-Hauptscharführer*; celui-ci tient un bâton avec un chiffon accroché à son extrémité. Quelle en est l'utilité ?

7.5cm infantry gun crew. The main element is an SS-Hauptscharführer; he is holding a staff with a cloth attached to its end. What could it be used for?

Le secteur du Wolchow est si horrible avec ses forêts marécageuses, ses mouches, ses moustiques, son climat pénible et son manque de routes qu'il a été vulgairement baptisé par les soldats allemands « *Le trou du c.. du monde* », comme l'indique ce panneau.

The Wolchow sector was horrible, with its swampy forests, flies, tiresome climate and lack of roads. Hence, it was named the "The a...hole of the world" by the German soldiers, as indicated on this board.

Un bunker a été construit en rondins et recouvert d'une épaisse couche de terre. A son entrée, on peut lire sur le panneau « *Au vétéran de la Mer de Glace* » tandis que l'insigne régimentaire a été peint sur son linteau. A n'en pas douter, le *SS-Untersturmführer* se trouvant au centre de la photographie en est un, à en juger par ses décorations (Croix de fer de 2ᵉ et de 1ᵉ classes, médaille des blessés, insigne d'assaut de l'infanterie en argent).

A bunker has been built from logs and covered with a thick layer of earth. At the entrance, one can read "To the ice sea veteran", while the regiment's insignia has been painted on the lintel. There is no doubt that the SS-Untersturmführer who is standing in the centre of the picture, is one of them, judging by his decorations (iron crosses, 2nd and 1st class, wounded badge in silver, and infantry assault badge in silver).

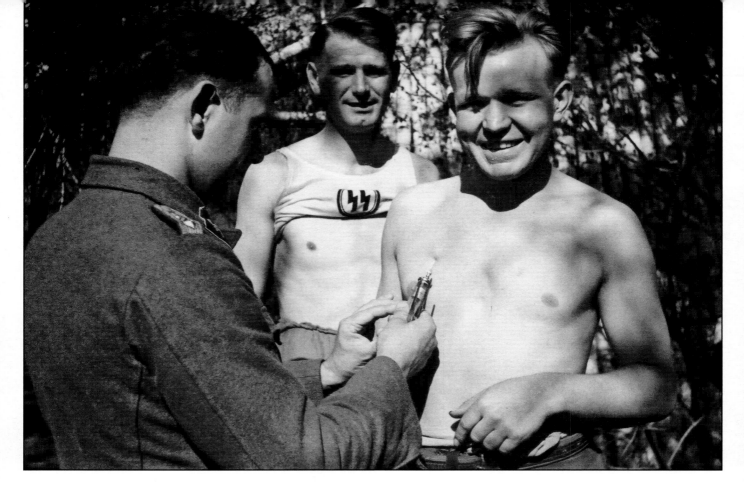

Vaccination pour ces soldats du *SS-IR 9 « Thule »*. Le régiment a été rebaptisé au cours du printemps afin d'honorer sa performance au combat. Lors de son départ de Russie, le général von Both, commandant du *I.AK*, a écrit à son sujet : « *Venant de Finlande en janvier, le SS-Inf.Rgt.9 a été subordonné au I.Armeekorps et engagé auprès de la 291.ID sur la Tigoda. Là, par un froid glacial et dans une neige profonde, il a colmaté plusieurs brèches ennemies et s'est emparé d'un camp soviétique lors d'un combat acharné. Quelques semaines plus tard, le régiment a dû être envoyé vers un autre point chaud du corps d'armée, en direction de Mal. Opotschiwalowo pour être engagé aux côtés de la 215.ID. Il s'y est opposé à une nouvelle tentative de percée des Russes. Une brèche ouverte dans un secteur voisin a été également colmatée et le régiment a anéanti l'ennemi qui s'y était engouffré ainsi que deux états-majors de régiments.* »

Vaccination time for the soldiers of SS-IR 9 "Thule". The regiment has been renamed in spring to honour its performance in combat. During its departure from Russia, General von Both, commander of I.AK, wrote on the subject: "Coming from Finland in January, SS-Inf.Rgt.9 was subordinated to I.Armeekorps and stationed in the vicinity of 291.ID on the Tigoda river. There, under freezing cold conditions and deep snow, several breeches in the sector were consolidated and a Soviet camp was captured after a bitter fight. Several weeks later, the regiment was sent to another hot spot in the army corps sector near of Mal. Opotschiwalowo, and engaged with 215.ID. It opposed a new breakthrough attempt by the Russians. An gap in the neighbouring sector had equally been blocked and the regiment annihilated the enemy which had run through as well as two regiments' headquarters".

Un abri, servant sans doute de bar, a été construit dans la forêt, quelque part dans le secteur du Wolchow. On notera les croix gammées et le « *Heil Hitler* » décorant l'ensemble. Les SS étaient des soldats politiques avant que leurs associations ne le renient après la guerre.

A shelter, undoubtedly serving as a bar, was built in a forest somewhere in the Wolchow sector. Note the swastikas and the "Heil Hitler" decorating the place. The SS were political soldiers but after the war, their veterans' associations denied it strongly.

Avant de quitter le front, les hommes du régiment doivent passer par le centre d'épouillage de la *215.ID* (dont l'écusson a été peint sur le panneau) à Tschudowo. Ils vont également pouvoir y prendre un bain, un luxe qu'ils ne pouvaient se permettre en première ligne.

Before leaving the front, the regiment's men have to pass through the delousing centre of 215.ID (whose divisional sign has been painted on the board) in Tschudowo. They can also take a bath, a luxury that they were unable to indulge themselves in on the frontline.

Le ballot pour le départ. La bonne humeur est de mise. Nous sommes en juillet 1942 et le régiment quitte enfin le front de l'Est pour la France où ses survivants doivent constituer le noyau du *schnellen Regiments der SS-Totenkopf-Division (SS-FHA, Org.Tgb.Nr. 4099/42 geh. v.10.7.1942).*

Packing for departure. High spirits were the order of the day. It was July 1942 and the regiment finally left the eastern front for France where the survivors were to form the nucleus of schnellen Regiments der SS-Totenkopf-Division (SS-FHA, Org.Tgb.Nr. 4099/42 geh. v.10.7.1942).

Embarquement des hommes et des véhicules en gare de Tschudowo. Ce camion *Ford G917T* a souffert de son engagement sur le front. Le *SS-Obersturmführer* doit être le chef de la *13.Kp./SS-IR 9*. A noter la toile de tente du *Heer* qui recouvre le capot moteur.

Loading men and vehicles at the Tschudowo station. This Ford G917T has suffered as a result of being stationed at the front. The SS-Obersturmführer must be the commander of 13.Kp./SS-IR 9. Note the Heer tent canvas which is covering the engine bonnet.

Voyage en wagons de marchandises. Que cela ne tienne ! Les hommes sont trop heureux de quitter le front.

Voyage in goods wagons. That one won't hold out! The men were extremely happy to leave the front.

Ci-dessous : Impressionnante vue de la cour principale de la caserne d'Angoulême où se constitue le nouveau régiment (*SS-schnelles Regiment « Thule »*). On aperçoit une grande variété de véhicules. Au premier plan, on voit des tracteurs légers d'une tonne (Sdkfz.10) avec des canons anti-chars *Pak 38* qui leur sont attelés.

Below: *Impressive view of the main court in the Angoulême barracks, where the new regiment (SS-schnelles Regiment "Thule") was formed. The great variety of vehicles can be appreciated. In the foreground, one-ton light tractors can be seen (Sdkfz.10) with Pak 38 anti-tank cannons coupled to them.*

Ci-dessus : Gros plan sur un *SdKfz.10* tractant un canon d'infanterie de 7,5 cm *le.IG18* dans un village des Charentes. Le nouveau régiment ne comprend pas de compagnie de canons d'infanterie mais ses 4ᵉ et 8ᵉ compagnies, dites « lourdes », ont chacune une section équipée de deux *le.IG18*.

Above: *Large view of a SdKfz.10 towing an le.IG18 7.5 cm infantry gun in a village of the Charentes region. The new regiment had no infantry gun companies, but its so-called "heavy" 4th and 8th companies each had a section equipped with two le.IG18.*

Ci-dessous : Le plein est fait : on notera que le goulot du réservoir se trouve au milieu de l'habitacle du véhicule !

Below: *The tank is full: Note the tank opening in the middle of the vehicle's cabin!*

Les servants d'un canon d'infanterie posent pour le photographe devant leur tracteur *SdKfz.10* lors d'une pause repas. A cette période, les unités de la *SS-Panzergrenadier-Division « Totenkopf »* se plaignent de l'insuffisance du ravitaillement.

Infantry gun crew posing for the photograph in front of its SdKfz.10 tractor, while taking a break. During this period, the units of SS-Panzergrenadier-Division "Totenkopf" complained about a lack of food.

Le régiment participe à l'occupation de la Zone Libre en novembre 1942. Ce *SS-Rottenführer* n'a pas pu résister à l'envie de se faire photographier au pied d'un palmier, arbre que les Allemands n'ont pas l'habitude de rencontrer chez eux.

The regiment participated in the occupation of the Free Zone in November 1942. This SS-Rottenführer was unable to resist the temptation of being photographed beneath a palm tree, a tree that the Germans were not accustomed to seeing at home.

Ci-dessus : L'instruction est reprise à la base car le régiment accueille de nombreuses nouvelles recrues. C'est une véritable corvée pour les vétérans qui doivent pourtant s'y plier. Marche dans la campagne charentaise dirigée par le chef de la *8.Kp./ « Thule »*, le *SS-Hstuf.* Horst Steppuhn.

Above: Training was resumed from the beginning, as the regiment had received numerous new recruits. This was really tiresome for the veterans who had to endure it. A march in the Charente countryside directed by the chief of 8.Kp./"Thule", SS-Hstuf. Horst Steppuhn.

Ci-contre : Exercice de tir à la carabine *K98 k*. Vers la fin de la guerre, les modèles assemblés seront dépourvus de la baguette de nettoyage.

Opposite: Shooting practice with a K98 k. rifle. Towards the end of the war, the assembled models lacked their cleaning rods.

Instruction au tir au *MG-34*. Apparemment, le régiment n'a pas encore reçu les nouveaux *MG-42*.

Shooting practice with a MG-34. Apparently, the regiment had not yet received the new MG-42.

Groupe de soldats du régiment, quelque part sur la côte atlantique. Celui de gauche porte sa tenue de treillis sous son manteau.

A group of soldiers from the regiment, somewhere along the Atlantic coast. The one on the left is wearing his drill trousers underneath his greatcoat.

Relève de la garde devant une maison abritant l'un des PC du régiment (sans doute le PC du régiment ou de l'un des deux bataillons). Nous sommes en novembre ou en décembre 1942 et les hommes ont revêtu leurs manteaux.

Relieving the guard in front of a house sheltering one of the regiment's HQ (undoubtedly the HQ of the regiment of one of the two battalions). It was November or December 1942 and the men were wearing their greatcoats.

Exercice sur le canon d'infanterie *le.IG18*. Les hommes ont mis leurs masques à gaz afin de s'entraîner à faire face à toutes les situations, même à l'improbable attaque aux gaz de combat. On notera les tenues de treillis revêtues lors de l'entraînement. Ceci permet d'économiser les uniformes.

Training with a le.IG18 infantry gun. The men have put on their gas masks in order to train confronting all the situations, even the unlikely event of a gas attack during combat. Note the drill clothing used for training. This allowed them to spare their uniforms.

Départ vers le front de l'Est. Nous sommes donc en janvier 1943. Notre homme a été promu *SS-Unterscharführer*. On le voit ici en compagnie d'autres sous-officiers du régiment. Une habitante d'Angoulême, sans doute leur logeuse, est venue leur dire au revoir sur le quai de la gare.

Leaving for the Eastern Front, January 1943. Our man has been promoted to SS-Unterscharführer. He is seen here in the company of some of the regiment's other non-commissioned officers. One of the residents of Angoulême, undoubtedly their landlady, has come to the station platform to bid them farewell.

Opposite page

Au-dessus : Arrivée en Ukraine. La température y est glaciale. Le capotage de ce *Steyr Typ 1500 A/1* est devenu indispensable. Cette voiture lourde, pesant 4 160 kg à pleine charge, est mue par un moteur V8 de 3,517 litres développant 85 chevaux à 3 000 tours par minute. Elle atteint la vitesse de 90 km/h sur route et de 45 km/h en tout terrain. Il s'agit en effet d'un 4x4 dont la production s'est échelonnée entre 1941 et 1944.

Above: *Arriving in Ukraine. The temperature there was icy. The cabin of the Steyr Typ 1500 A/1 had become indispensable. This heavy vehicle, weighing 4.160 kg when full, was moved by a 3.517 litre engine yielding 85 horsepower and 3,000 rpm. It reached a velocity of 90 km/hr on the road and 45 km/hr off-road. This 4x4 was produced between 1941 and 1944.*

Ci-contre : Printemps 1943. Sous-officiers du régiment posant devant un camion de leur unité. On notera l'absence de bande de bras et les casquettes camouflées.

Opposite: *Spring 1943. Non-commissioned officers from the regiment are posing in front of one of their unit's trucks. Note the absence of armbands and their camouflaged caps.*

Maintenance sur un canon *le.IG18*. Nous sommes en plein été 1943. Ce sont des mois au cours desquels la division « Totenkopf » va réellement jouer un rôle de pompier sur le front, tout d'abord en attaquant en pointe du *II.SS-Pz.Korps* à Koursk, puis en intervenant sur le Mius, puis à l'ouest de Charkow et enfin en couvrant la retraite vers la tête de pont de Krementschug.

Maintenance work on a le.IG18 gun, mid-summer 1943. During these months, the "Totenkopf" division actually fulfilled the role of firemen all along the front, first with II.SS-Pz.Korps attacking at Koursk, then intervening in the Mius sector, then to the west of Charkow and finally covering the retreat towards the bridgehead at Krementschug.

A partir de 1943, l'album de notre homme se fait beaucoup plus erratique, les pellicules photo se faisant plus rares pour les non professionnels. On l'aperçoit ici sur la gauche de la tranchée en compagnie de quelques uns de ses camarades. A noter la *Panzerfaust* posée sur le parapet. A priori, ce cliché doit dater du printemps 1944. A ce moment-là, le *SS-Kradschützen-Regiment « Thule »* n'existe plus, car il a été dissous quelques semaines après les combats de Charkow au cours du printemps précédent.

From 1943 onwards, our man's photo album became a lot more erratic, the photographic films were taken more rarely by non-professionals. He can be made out here on the left side of a trench accompanied by several of his comrades. Note the Panzerfaust placed on the parapet. In principle, this plate was taken in spring 1944. At that time, SS-Kradschützen-Regiment "Thule" was no more, as it had been dissolved several weeks after the fighting at Charkow in April 1943.

Trois des quatre hommes aperçus sur la photographie précédente se retrouvent ici dans une localité. D'après les habits portés par les villageois, il est possible de situer l'action en Roumanie, et d'après la végétation, au plus tard au mois d'avril. L'homme au centre est équipé d'une *Panzerfaust 60*, arme antichar à courte portée (60 m), propulsant une roquette à charge creuse. Celle-ci possède une vitesse initiale de 45 mètres par seconde grâce à une charge propulsive de 140 grammes. Le poids total de l'arme est de 6 kg. On remarquera les grenades à manche *StiGr.43* reconnaissables à leur bouchon allumeur *BZE* monté au sommet du corps.

Three of the four men appearing in the previous photograph are in the village together. Judging by the clothing worn by the villagers, the action can be situated in Romania and from the vegetation, in the month of April at the latest. The man in the centre is equipped with a Panzerfaust 60, a short-range anti-tank weapon (60 metres), launching a hollow charge rocket. This has an initial velocity of 45 metres per second, thanks to a 140 gram propulsion change. The weapon weighs a total of 6 kg. Note the StiGr.43 stick hand grenades recognisable by their BZE ignition caps mounted at the top of the main body.

Belle photographie montrant notre homme en manteau de caoutchouc et en compagnie d'un autre *SS-Unterscharführer*. Tous deux sont armés d'une *MP40*.

Beautiful photograph showing our man in a waterproof coat in the company of another SS-Unterscharführer. They are both armed with MP40s.

Exceptionnelle photographie prise depuis une tranchée et montrant un *T-34* détruit devant les positions de la division. L'adjectif « exceptionnelle » a été employé car il était en principe interdit que les soldats prennent des photographies sur le front. Cette tâche était du domaine réservé des *PK*.

This is an exceptional photograph taken from a trench showing a destroyed T-34 in front of the division's positions. The adjective "exceptional" is used because orders had been given to forbid individual soldiers to take photographs on the frontline. The task was reserved to the PK.

Un *SS-Sturmmann* essaie de mesurer la profondeur de ce cratère provoqué par l'explosion d'une bombe (l'hypothèse la plus vraisemblable) ou d'un obus de très fort calibre.

An SS-Sturmmann trying to measure the depth of a crater produced by a bomb explosion (the most likely hypothesis) or a large calibre shell.

A partir du mois de mai 1944, la division « *Totenkopf* » est reconstituée sur les arrières du front, en Roumanie. On doit ici se trouver dans un mess de sous-officiers. On remarquera le blason porté sur l'épaule gauche (*Demjanskschild*) par ce vétéran de la poche de Demjansk.

From May 1944, the "Totenkopf" division was refitted behind the front in Romania. This must have been the non-commissioned officers' mess. Note the shield on the left shoulder (Demjanskschild) of this veteran of the Demjansk sector.

De nombreux exercices sont effectués au cours de ce printemps 1944 car il faut intégrer de nombreuses nouvelles recrues mais aussi l'évolution des techniques de combat.

Numerous exercises are carried out in spring 1944, because of the need to integrate the large number of new recruits and also due to the progression of combat techniques.

Ci-contre : Un peu de repos pour ces vétérans du front de l'Est. Tous sont au moins décorés de la Croix de fer de 2ᵉ classe. On notera les bandes de bras de la *Totenkopf*.

Opposite: *A short break for these Eastern Front veterans. They are all decorated at least with iron crosses 2nd class. Note the Totenkopf armbands.*

Ci-dessous : Sieste inopinée pour cet opérateur radio. Son abri a été constitué d'une toile de tente de la *Waffen-SS* combinée à une du *Heer*, ce qui explique les différents motifs de camouflage.

Below: *Unexpected snooze for this radio operator. His shelter had been built from a Waffen-SS tent canvas combined with Heer canvas, which explains the different camouflage patterns.*

Ci-dessus : rassemblement d'une compagnie. A voir l'air interrogatif des soldats du rang et les visages pleins de confiance des sous-officiers, on peut deviner qu'il s'agit peut-être d'une cérémonie destinée à accueillir de nouvelles recrues.

Above: *A company assembly. From the interrogative air among the ranking soldiers and the non-commissioned officers' faces full of confidence, one could deduce that the ceremony was dedicated to receiving new recruits.*

Nouvel exercice sur le terrain, cette fois-ci en présence d'officiers roumains, reconnaissables à leurs casquettes en forme de poêle à frire. On remarquera l'éventail des tenues portées.

A new terrain exercise, this time in the presence of Romanian officers, identifiable from their frying-pan shaped caps. Note the range of different clothing worn.

Ci-dessus : Autre photographie montrant le même exercice. Il n'y a pas deux hommes habillés de façon identique ! Même les officiers roumains portent chacun des tenues différentes.

Above: Another photograph showing the same exercise. There are no two men dressed in the same manner! Even the Romanian officers are all wearing different clothing.

Ci-dessous : Fin de l'exercice. Les commentaires sont utiles pour faire progresser l'instruction. L'officier en charge de l'exercice doit être celui qui est vêtu d'une blouse camouflée d'une coupe très inhabituelle. Sans doute l'œuvre d'un tailleur de la division.

Below: End of the exercise. The comments were useful for the progression of the training. The officer in charge of the exercise must be the one who is wearing a camouflaged shirt with a very unusual cut, undoubtedly the work of one the division's tailors.

Ci-dessus : Fin juin 1944. Le *SS-Gruppenführer* Hermann Priess fait ses adieux à la *Totenkopf* et notre photographe amateur était là pour immortaliser l'instant. Les officiers se trouvant derrière lui n'ont malheureusement pas pu être identifiés.

Above: *End of June 1944. SS-Gruppenführer Hermann Priess says his goodbyes to Totenkopf and our amateur photographer was there to immortalise the moment. Unfortunately, we have not been able to identify the officers standing behind him.*

Encore un exercice avant de repartir sur le front. Il semble qu'il s'agisse ici d'un simple *Drill*.

Yet another exercise before leaving for the front. It appears to be a simple Drill.

Soldats de la *Totenkopf*. Ceux-ci sont tous des vétérans. Ces derniers évitaient généralement de se lier avec des nouvelles recrues : en effet, les premiers à tomber au combat étaient le plus souvent les plus novices. Il fallait par conséquent les fuir pour ne pas avoir à pleurer ensuite leur mort, moyen assez efficace pour ne pas sombrer sur le plan moral et psychologique.

Totenkopf soldiers. All of them are veterans. They generally kept clear of the new recruits: Actually, the first to fall in combat were mainly the most novice solders. Consequently, they were avoided to prevent having to mourn their death, a quite effective strategy for avoiding morale and psychological decline.

Hiver 1944 – 1945. Nous nous trouvons sur les arrières du front en Pologne. De nouvelles recrues sont accueillies et sont envoyées une dernière fois à l'exercice. Il s'agit également de la dernière photo de l'album. Nous ne connaissons malheureusement pas le sort de son propriétaire d'alors.

Winter 1944-1945, behind the front in Poland. The new recruits have been assembled and sent on a final exercise. This is also the last photo of the album. Unfortunately, we do not know the fate of the owner from this point onwards.